상징으로 만나는 민화 이야기 1

상징으로 만나는 민화 이야기 1

발 행 | 2024년 1월 15일
저 자 | 소리미소
펴낸이 | 한건희
펴낸곳 | 주식회사 부크크
출판사등록 | 2014.07.15.(제2014-16호)
주 소 | 서울특별시 금천구 가산디지털1로 119 SK트원타워 A동 305호
전 화 | 1670-8316
이메일 | info@bookk.co.kr

ISBN | 979-11-410-6630-7

상징으로 만나는 민화 이야기1

소리미소

차례

"부모님 선물을 고르시나요?

건강하게 오래오래 사시라는 의미에서
장생도나 문자도 '수', 송학도, 백수백복도 같은
그림 중에서 고르시면 좋아요."

"이번에 수능(승진) 시험을 친다고요?
어변성룡도나 공명도 선물하시면 좋겠네요."

왜?
어떤 이유가 있나요?

궁금하지 않으신가요?

민화는 그림 속에 상징이 담겨있습니다.

사극 임금님 뒤에 놓여 있는 해와 달, 다섯 봉우리의 산이 있는 "일월오봉도"에는 어떤 뜻이 담겨 있을까요?

사람들은 왜 새해마다 까치와 호랑이 같은 그림을 선물하고 대문에 붙여두었을까요?

우리의 멋에 한 걸음 더 다가갈 수 있는 재미있는 민화 이야기.

지금 시작합니다.

자연

옛 사람들은 내가 살고 있는 세상에 의미를 붙여 생각하고 이치를 깨달아 좋은 사람이 되고자 했습니다.

아침이 되면 떠오르는 해와 밤이 되면 나타나는 달, 변하지 않는 바위와 흐르는 물을 바라보며 어떤 생각을 했을까요?

해

모든 빛의 시작

남자

스스로 하는 힘

더위

밝음

건조함

단단함

달

여자.

스스로 움직이지 않고 다른 것의 힘으로 움직임.

어둠

습기

부드러움

- 해와 달이 함께 있는 것

: 세상 모든것의 이치

불

변화

아래에서 위로 타올라 가는 것

밝음

예의

남쪽, 여름 (주작)

흙

생명을 탄생시키다

믿음

공손함

가르침

중앙, 사계절의 중심 (기린)

쇠

법, 명령, 규정

의로움

힘

거두어들임

서쪽, 가을 (백호)

물

악의 반대, 착함.

위에서 아래로 흐름

: 자연의 이치, 임금의 백성을 향한 마음

모든 동식물의 성장을 돕는 것 (자양분)

고요함

지혜로움

북쪽, 겨울 (현무)

나무

길러 자라게 함

의로움

너그러움

생명

동쪽, 봄 (청룡)

바위

영원

전에 없던 것을 만듦

생명력.

변하지 않는 것

믿음
+ 태점 : 오래된 것 -> 의미 강화
<u>특이한 모양의 바위</u> : 괴석

괴석

장수,
오래 삶
곧은 덕을 가짐 (민화보다는 문인화)
믿음

자연물을 소재로 한 그림

(국립고궁박물관)

일월오봉도

그림 속 상징

일월 (해와 달) : 음양, 세상의 이치

오봉 : 오행   (일월오봉 : 음양오행)

오봉 : 우리나라를 대표하는 5 곳의 산봉우리

삼각산(중앙), 금강산(동쪽), 묘향산(서쪽),

지리산(남쪽), 백두산(북쪽)

소나무 : 정월, 하늘과 땅을 이어주는 존재

땅과 계곡 : 우리나라의 땅과 백성

파도 : 전국 방방곡곡에서 일어나는 충성어린 인재

우리나라에서만 발견.

신하들과 백성들은 왕이 나라를 잘 다스림을 소리높여 노래하고, 고마운 왕을 위해 하늘과 조상의 축복을 기원하는 마음을 여러 가지 상징에 담음.

하늘 아래 가장 높은 자리.

백성들을 굽이 살피는 자리.

자연물을 소재로 한 그림

(국립중앙박물관)

십장생도

그림 속 상징
오래 사는 것, 변하지 않는 것 가운데 10가지를 그림
(10가지가 넘거나, 그 보다 작을 때 장생도라 부름)

자연물 : 해, 물, 산(바위), 구름
식물 : 소나무, 대나무, 불로초(영지버섯), 천도복숭아
동물 : 거북이. 사슴. 학

  각각의 상징들이 따로 모여 장생 (오래 삶)을 의미하는
그림이 되기도 함 (송학도 등)

자연물을 소재로 한 그림

(국립고궁박물관)

군록 장생도 벽장문

그림 속 상징
오래 사는 것, 변하지 않는 것 가운데 사슴을 강조함

자연물 : 해, 물, 산(바위), 구름
식물 : 소나무, 대나무, 불로초(영지버섯), 천도복숭아
동물 : 거북이. 사슴. 학

네 개의 문짝이 한 조를 이룬다.
등 뒤에 놓여 창을 내지 않은 것으로 짐작함.

식 물

옛 사람들은 꽃과 나무가 자라는 모습을 보며 각 식물의 특징을 닮아 좋은 사람이 되고자 했습니다.

기본적으로 나무는 음양오행에 따라 의롭고 너그러움을 품은 생명력 있는 존재로, 꽃은 아름다움과 기쁨. 행복의 뜻을 담고 있답니다.

덩굴은 자손이 끊이지 않게 이어짐을 뜻하고, 씨앗은 자손번창과 행운, 돈을 의미하기도 하지요.

나무부터 꽃, 열매까지, 민화에 자주 등장하는 식물들을 알아볼까요?

가지

남자아이를 낳기 바라는 마음

(농경사회에서 남자는 일손 = 돈, 부자)

감

열매가 익기 전과 익은 후, 속과 겉이 같은 색으로 변함

: 신의 (믿음과 의리)

　아랫사람이 윗사람에게 믿음을 표현하는 선물

좋은 배우자를 만나 가족이 번성하기 바람.

계관화 맨드라미

꽃의 생김새가 닭 벼슬과 닮았고, 벼슬이라는 말이 궁궐

에서 일하는 벼슬과 음이 같다.

　시험에 합격하여 나랏일을 하라는 의미

: 귀한 사람이 되어 돈도 벌고 잘 살라는 뜻

고추

남자아이를 낳기 바라는 마음

(농경사회에서 남자는 일손 = 돈, 부자)

국화

사군자 중 하나

중국의 시인 도연명이 [귀거래사]라는 시를 읊은 뒤 국화를 벗삼아 지냈다 하여 아무런 속박을 받지 않고 마음껏 즐긴다는 '은일군자'를 상징.

10월. 가을을 의미

공직에서의 은퇴

규화 접시꽃

아래에서 위를 향해 차례로 꽃을 피우는 특성을 보고 낮은 벼슬에서 차례대로 승진함을 의미.

9월, 관직의 승진

귤나무

부귀영화, 효

복, 행운

큰 귤 : 대귤 : 대길과 발음이 비슷하여 축원하는 의미

귤나무 + 한 쌍의 새

: 가정이 화목하고 큰 행운이 함께하기를 기원

나리꽃

풍요, 마음의 안정, 다산, 화합
벼슬아치를 부르던 '나리'와 음이 같아 벼슬아치를 상징.
'나리'는 순 우리말 이름 : 우리나라만의 길상문양
나리꽃이 많이 피면 풍년이 든다하여 풍년을 상징.

대나무

사군자 중 하나
대나무 죽 자와 축하하다 축 자가 비슷하여 축을 의미.
매화나무나 바위와 함께 그려질 때 : 장수 의미
대나무 매화나무 새 한 쌍 : 부부 생일 축하와 장수의미
화병과 대나무 : 절개, 의리

대추

건강한 자손 : 씨앗이 단단하게 여물어 있음

매화

사군자 중 하나
잎이 없는 가지에서 추운 겨울을 이겨내고 피어나는 꽃
어려움을 극복하는 군자. 선비의 깨끗한 기품
1월

모란

화려하고 귀족적인 꽃 : 꽃중의 왕

귀한 사람이 되어 이름을 날리고 부자가 됨

부부의 사랑

3월, 봄을 상징

괴석 모란도 : 꽃중의 왕 : 임금 : 궁궐병풍에 사용

괴석 : 영원   모란 : 부귀영화

-> 귀한 사람이 되어 이름을 날리고 부자가 되어
   평안함을 영원토록 누리라는 의미

목련

선비, 군자

여성이 지닌 아름다움과 매력

5월

등나무

부부애. 가정 화목

박꽃

은은하고 점잖은 모양 :곱게 나이 든 노인

배

씨가 촘촘히 박혀 있는 모습 : 일가 친척의 단결

다정함. 단결

신선이 먹는 음식

순수, 정의, 장수, 현명하고 어진 정치

배꽃

지혜로움

어질고 선한 정치

깨끗하고 맑은 정신을 가진 선비를 상징

8월

복숭아

결혼, 봄, 불멸, 장수

자손번창. 육아

복숭아 꽃

벽사 : 요사스러운 귀신을 물리침

불로장생

마름다운 미인, 젊은 여인

불수감

복, 자비로움, 부 富,

돈을 쥐고 있는 부처님 손모양 : 하늘의 보살핌

박쥐와 비슷한 모양 : 박쥐는 한자로 복.

복복자와 음이 같아 "복" 으로 해석함

비파

가을에 꽃봉오리를 맺어 겨울에 꽃이 피며,

봄에 열매가 맺히고 여름에 익는 특징

: 사계절을 한 몸에 지닌 좋은 기운의 나무.

석류

씨앗이 많다. – 백자류

아들을 많이 낳는 것

돈이 가득 들어있는 것

석류 꽃 : 붉은 색 : 잡귀를 쫓음

석죽화 패랭이꽃

석(돌 석) 죽(대나무 죽)과 음이 같아

바위처럼 영원하고 대나무처럼 곧다고 여김

청춘, 절개

선도 천도복숭아 하늘 복숭아

불로장생 늙지 않고 오래 사는 것.

3천년에 한 번 꽃이 피고, 3 천년만에 열매가 열리며

3 천 년 만에 익어

9천 년이 걸려 먹을 수 있는 하늘 복숭아.

소나무

영원한 생명 (송수천년 松樹千年)

사계절 푸른 잎 : 절개, 지조,

불로장수

정월(1월), 새해

수박

수복 (壽福) 오래사는 것과 복을 누리는 일과 음이 같음

: 장수와 복을 의미

씨앗이 많이 있음 : 아들을 많이 낳음 : 부자 기원

알밤

새순이 나서 클 때까지 양분을 주는 알밤의 모습

: 아이를 잘 키워내는 어머니의 정성

부모님을 공경하는 마음 : 효도

연꽃

꽃과 열매가 함께 자라남 : 아들을 낳기 기원

진흙에서 깨끗하고 아름다운 꽃을 피워냄 : 군자

연꽃의 연자가 이어질 연(連)과 발음이 같아

'이어지다' 로 해석하기도 함

7월, 여름

여인, 천재

연과 蓮果 연의 씨앗

자손과 풍부한 자원 (촘촘히 박힌 씨앗 : 재물, 돈)

편안히 사는 모습

이어질 연과 과거 급제와 연결하여

연달아 시험에 합격하다는 의미를 가짐

오동나무

새들의 왕, 봉황이 선택한 나무

오동의 동자는 같을 동자와 음이 같음

: 좋은 것을 함께 누린다.

부부화목

오동나무 잎사귀 모양이 土 흑 토자와 비슷하다하여

잎사귀 하나마다 돈을 상징하기도 함.

장미

늙지 않음. 아름다움을 오래 간직함. 영원한 젊음.

월계화 : 매달 연이어 꽃이 핌.

죽순

남성의 상징

중국 삼국시대 오나라 사람인 맹종은 아버지를 잃고

나이 들고 병든 어머니가 드시고 싶어하는 죽순을 찾아

눈이 쌓인 대밭에서 어머니를 생각하며 눈물 흘림.

눈물이 떨어진 곳에서 대나무 순이 돋아났다고 함.

하늘이 내린 죽순을 끓여 드리자

어머니의 병환이 말끔히 나았다고 하여

효도의 상징이 됨.

문자도 효 孝 에 죽순을 그림.

지초 불로초 영지버섯

불로장수 늙지 않고 오래 삶.

뜻을 이룸.

파초

겨울에 죽어있는 듯 하나 다음해 새순이 나오고,

불에 탄 뒤에도 다시 싹을 틔우는 모습 : 기사회생
끊임없이 새 잎을 틔우는 모습 : 자강불식
스스로를 단련하여 어떤 위기나 시련이 닥쳐도
굴복하거나 흔들리지 않고 최선을 다하는 굳은 의지
계속해서 덕을 쌓아 지혜를 펼쳐낸다.
파초잎 : 독학 학문에 충실함

포도

탐스러운 포도알 : 자손 번창
반드시 넝쿨과 함께 그림.
넝쿨 : 부귀장수
자손이 덩굴처럼 이어져 영원히 끊어지지 않음

해당화

아름다운 여인
모란과 함께 그려질 때 : 부귀가 가득하다. (만당부귀)
부귀영화가 온 집안에 넘쳐 흐르기를 기원하다.

향일화 해바라기

임금을 향한 충정
충성스러운 신하

식 물 을 소 재 로 한 그 림

(국립고궁박물관)

모란도 병풍

그림 속 상징
모란 : 부귀영화
      재산이 많고 지위가 높으며 귀하게 되어서
      세상에 드러나 온갖 영광을 누림.
      꽃 중의 왕 (임금님을 상징)
      여인 가운데 가장 높은 신분, 궁중 여인 뒤를 장식
      이후 민간에서도 좋은 일이 있을 때 사용
       (혼례, 회갑 등)
괴석 : 영원, 변하지 않음

모란과 괴석이 만나 괴석 모란도가 됨
부귀영화를 오래도록 누리라는 의미.

여인 가운데 가장 높은 신분, 궁중 여인 뒤를 장식함.
이후 민간에서도 좋은 일에 사용 (혼례, 회갑 등)

식물을 소재로 한 그림

(국립고궁박물관)

화훼도 병풍

그림 속 상징
탐스러운 포도알 : 자손 번창
반드시 넝쿨과 함께 그림.
넝쿨 : 부귀장수
자손이 덩굴처럼 이어져 영원히 끊어지지 않음

식 물 을 소 재 로 한 그 림

(국립중앙박물관)

소나무와 학

그림 속 상징

소나무 : 영원한 생명 (송수천년 松樹千年)

        사계절 푸른 잎 : 절개, 지조,

        불로장수

군학 (학의 무리) : 학의 뜻이 배가 된다.

학 : 고고함

    일품 (뛰어남)

    학수천세 鶴壽千歲 학은 오래산다 : 장수

    입신양명 : 벼슬에 올라 이름을 널리 알린다.

    신선이 타고 하늘을 나는 새

해 : 밝음.

물 : 지혜로움

파도치는 바다에 서 있는 학 (일품당조)

조정에 들어가 관직이 일품에 오른다.

식물을 소재로 그림

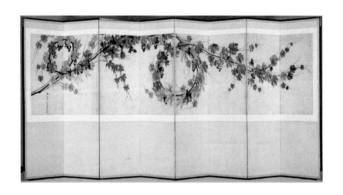

(국립고궁박물관)

최석환 필 묵포도도 8폭 병풍

그림 속 상징

포도알 : 영원, 변하지 않음

모란 : 부귀영화

      재산이 많고 지위가 높으며 귀하게 되어서

      세상에 드러나 온갖 영광을 누림.

      꽃 중의 왕 (임금님을 상징)

매화 : 어려움을 극복하는 군자. 선비의 깨끗한 기품

복숭아꽃 : 요사스러운 귀신을 물리침. 불로장생

괴석 : 영원, 변하지 않음

민화에서 꽃이 상징하는 것들

아름다움, 번영, 부귀, 행복, 축복, 사랑

생물

민화 그림에는 많은 생물이 등장합니다.

한국을 대표하는 까치와 호랑이, 고고함을 상징하는 학, 의로움을 나타내는 개처럼 우리 주위에 함께 하는 동물의 특성이나 이름에 따라 여러 가지 상징을 부여하여 그림을 그려왔답니다.

네발 달린 짐승에서부터 새. 물고기. 곤충까지 모두 동물이기에 여기서부터는 나누어 정리해볼게요.

새, 동물, 바다생물, 곤충의 순서대로 알아볼까요?

새

공작

머리가 흰 색 : 장수

공작새의 깃털 : 덕을 쌓음과 관직을 의미

기러기

한 번 짝을 지으면 생명이 다할 때까지 서로만 바라봄

: 부부의 백년해로

갈대 (노)와 기러기 (안) 은 老安 노후의 편안함과

음이 같아 노안도로 그려짐

까치

기쁨, 좋은 소식을 알림

꿩

출세. 명성. 권위

아름다움. 행운

수컷의 꼬리 : 태평성대

예를 표하는 동물

닭

어둠을 물리침

지상과 하늘을 연결하는 심부름꾼

수탉이 울면 잡귀가 도망친다 : 벽사

수탉의 붉은 벼슬 : 벼슬을 얻는다.

암탉 : 매일 알을 낳음 : 자손 번창

<u>수탉이 하늘을 보고 우는 모습 + 모란 : 공명도</u>

공을 세워 이름을 널리 알리고 부귀를 얻는다.

수탉 + 맨드라미

닭의 벼슬을 닮은 맨드라미와 수탉의 벼슬을 함께 그려 벼슬과 벼슬을 얻어 최고가 된다는 의미.

매

날카로운 생김새와 먹이를 낚아채는 모습

: 벽사 (잡스러운 귀신을 물리침)

삼재 부적으로 삼음

(화재. 물난리. 태풍)

혹은 (침략. 질병. 배고픔과 추위)

물총새

연밥과 함께 그려 자녀의 축복을 소망

박쥐

박쥐의 한자 복자가 복 복 福 자와 음이 같아 복을 의미.

장수. 번영. 행복

다섯 마리의 박쥐가 함께 있을 때 : 오복

(건강. 부. 덕. 장수. 편안한 죽음)

백두조

부부의 화합, 금슬

함수 한 쌍이 검은 머리가 하얗게 될 때까지 부부가 해로

백로

때 묻지 않은 흰빛의 청순한 자태 : 선비

백로 + 연꽃, 연밥

백로의 로는 길 로 路 로, 연꽃, 연밥의 연자는 이어지다

연 連으로 해석하여 연이어 과거에 급제한다는 뜻..

일로연과

한 마리의 백로와 연밥은 한번에 과거에 급제하여 관직을

가지라는 의미.

부엉이 올빼미

밤에 잠을 자지 않는 부엉이와 올빼미

: 도둑을 지키는 부적

오리

부부간의 정절, 좋은 일

오리 두 마리 : 장원급제

오리 두 마리 + 버드나무 : 장원급제에 머무르다.

오리 가족 + 연꽃 : 가족애

원앙

금슬이 좋아 한 쪽을 잃더라도 다른 짝을 얻지 않음

정조와 애정의 상징

원앙. 모란. 괴석이 함께 : 최고의 부부 금슬

제비

복. 의리

봄을 알림

참새

기쁨, 좋은 소식을 알림

팔가조

모이를 물어 부모에게 보답한다 : 효도

팔가조 + 목련 : 귀한 집에 효자가 난다는 뜻

학 두루미

고고함

일품 (뛰어남)

학수천세 鶴壽千歲 학은 오래산다 : 장수

입신양명 : 벼슬에 올라 이름을 널리 알린다.

신선이 타고 하늘을 나는 새

새를 소재로 한 그림

(국립중앙박물관)

화조화

그림 속 상징

원앙 : 한 쪽을 잃더라도 다른 짝을 얻지 않음

　　　정조와 애정의 상징

　　　원앙. 모란. 괴석이 함께 : 최고의 부부 금슬

모란 : 화려하고 귀족적인 꽃 : 꽃중의 왕

　　　귀한 사람이 되어 이름을 날리고 부자가 됨

　　　부부의 사랑

괴석 : 장수, 오래 삶

　　　영원, 변하지 않음

매화 : 사군자 중 하나

　　　잎이 없는 가지에서 추운 겨울을 이겨내고 꽃피움

　　　 : 어려움을 극복하는 군자. 선비의 깨끗한 기품

한쌍의 새 : 부부 금슬

해당화 : 모란과 함께 그려질 때 : 부귀가 가득하다.

　　　　　부귀영화가 온 집안에 넘쳐 흐르기를 기원하다.

새를 소재로 한 그림

(국립중앙박물관)

필자미상화조도

그림 속 상징

꿩 : 출세. 명성. 권위

　　아름다움. 행운

　　수컷의 꼬리 : 태평성대

　　예를 표하는 동물

매화 : 사군자 중 하나

　　　잎이 없는 가지에서 추운 겨울을 이겨내고 꽃피움

　　　: 어려움을 극복하는 군자. 선비의 깨끗한 기품

한쌍의 새 : 부부 금슬

대나무 : 매화나무나 바위와 함께 그려질 때 : 장수 의미

　　　　　대나무 매화나무 새 한 쌍

　　　　: 부부 생일 축하와 장수 의미

해당화 : 모란과 함께 그려질 때 : 부귀가 가득하다.

　　　　부귀영화가 온 집안에 넘쳐 흐르기를 기원하다.

새를 소재로 한 그림

(국립중앙박물관)

안중식 필 노안도

그림 속 상징

기러기 : 한 번 짝을 지으면 생명이 다할 때까지
　　　　서로만 바라봄 : 부부의 백년해로

갈대 (노)와 기러기 (안) 은 老安 노후의 편안함과
음이 같아 노안도로 그려짐

노안도 : 노후의 편안함

새를 소재로 한 그림

(국립중앙박물관)

전이희윤필 매죽쌍작도

그림 속 상징

학 : 고고함

　일품 (뛰어남)

　학수천세 鶴壽千歲 학은 오래산다 : 장수

　입신양명 : 벼슬에 올라 이름을 널리 알린다.

　신선이 타고 하늘을 나는 새

매화 : 사군자 중 하나

　　잎이 없는 가지에서 추운 겨울을 이겨내고 꽃피움

　: 어려움을 극복하는 군자. 선비의 깨끗한 기품

대나무 : 사군자 중 하나

　　　축하 의미.

　　　매화나무와 함께 그려질 때 : 장수 의미

　　　대나무 매화나무 새 한 쌍

　: 부부 생일 축하와 장수의미

동물

돼지   쥐   소

개   해   자   축   호랑이

술   인

닭   유   묘   토끼

신   진

원숭이   미   오   사   뱀

양   말   용

친숙한 동물들로 만들어진 12지신.

각 동물은 시간과 방위, 뜻을 갖게 된다.

개

집을 지켜주고 재난을 예방

도적을 막음

집안의 행복

미래의 번창

저녁 7시 ~ 9 시 (술시)

고양이

사람을 지켜주는 영물,

액운을 쫓아냄

고양이 + 참새 고양이 묘 70세 노인 耄 와

기쁨을 뜻하는 참새를 함께 그려 장수를 의미 : 묘작도

다람쥐

근면. 성실. 풍요. 재복

돼지

재물. 풍요로움

밤 9시 ~ 11시 (해시)

말

신성함. 위대함

의리와 충절

하늘. 힘

지칠줄 모르는 강인함

오전 11시 ~ 오후 1 시 (오시)

사슴

장수. 명예. 관록

학문을 통한 입신 - 벼슬길에 나아가 이름을 떨침.

불행과 질병을 막아 줌

사슴 록 鹿과 복 록 祿의 음이 같아 복을 상징함

뿔이 봄에 돋았다 떨어지고 이듬해 다시 자라남

: 장수, 재생, 영생을 상징

천년 산 사슴 : 청록

천오백년 산 사슴 : 백록

사슴이 두 마리 : 쌍록도

여러 마리인 경우 : 백록도, 군록도

흰 사슴 : 백록도

한 쌍의 사슴 + 소나무나 단풍나무 + 불로초

: 부부가 서로 화합하고 건강하게 변치않는 사랑을 나눔

소 황소

번창. 포용력. 순종

악귀를 물리침

새벽 1시 ~ 3시 (축시)

양 염소

즐거움. 만족. 희생. 효도.

오후 1시 ~ 3시 (미시)

코끼리

육지에서 가장 힘이 센 동물

힘. 현명함. 신중함

토끼 옥토끼

달에서 불사약을 찧는 옥토끼 : 장수, 부부애

새벽 5시 ~ 7시 (묘시)

호랑이

용맹

산신령의 심부름꾼. 산신령

집안에 잡귀가 침범하는 것을 막아 줌 : 벽사

호축삼재 : 화재 수재 풍재. 병난 질병 기근을 물리침

까치와 호랑이 : 호작도

중국에서 표범의 표자와 알린다는 보 자와 음이 같아 '보'로 읽고 까치는 기쁜 소식인 '희작'으로 해석하여 기쁜 소식을 전한다는 '보희'가 됨

까치와 호랑이 + 소나무 : 신년보희

정월을 뜻하는 소나무가 만나 새해에 기쁜 소식이 들어옴을 기원하는 그림.

동물을 소재로 한 그림

(국립중앙박물관)

까치와 호랑이

그림 속 상징

호랑이 : 용맹

　　　　　산신령의 심부름꾼. 산신령

　　　　　잡귀가 침범하는 것을 막아 줌 : 벽사

까치 : 기쁨, 좋은 소식을 알림

소나무 : 정월(1월), 새해

까치와 호랑이 : 호작도

　중국에서 표범의 표자와 알린다는 보 자와 음이 같아 '보'로 읽고 까치는 기쁜 소식인 '희작'으로 해석하여 기쁜 소식을 전한다는 '보희'가 됨

까치와 호랑이 + 소나무 : 신년보희

　정월을 뜻하는 소나무가 만나 새해에 기쁜 소식이 들어옴을 기원하는 그림.

동물을 소재로 한 그림

(국립중앙박물관)

김식의 누워있는 소

그림 속 상징

소 : 번창. 포용력. 순종

　　악귀를 물리침

　　새벽 1시 ~ 3시 (축시)

동물을 소재로 한 그림

(국립중앙박물관)

이암의 어미개와 강아지

그림 속 상징
개 : 집을 지켜주고 재난을 예방
　　　도적을 막음
　　　집안의 행복
　　　미래의 번창
　　　저녁 7시 ~ 9 시 (술시)

서양개를 그림으로써 집안의 부를 과시하고
어미개가 평화롭게 새끼개를 키우는 모습에서
집안의 행복과 미래의 번창을 읽을 수 있음

바다 생물

거북이

장수, 영원. 힘, 인내
하늘과 땅의 조화
북쪽을 수호

게

게의 등딱지가 갑자로 으뜸 혹은 과거시험의 의미를 지님
두 마리의 게 : 두 번의 과거에서 장원 (1등) 기원
<u>갈대 + 두 마리의 게 : 전려</u>
: 임금이 장원 급제한 사람에게 내리는 좋은 음식
갈대 + 두 마리의 게 + 거북이 + 등 굽은 새우
: 과거 급제하여 벼슬살이. 장수. 부부 해로

메기

입신출세
"비늘도 없이 미끄럽게 생겼으나 대나무에 오르는 재주가
있어 대나무 잎을 물고 뛰어올라 대나무 꼭대기까지 올라간
다." : 벼슬길에 나아가 순조롭게 승진하라

복어

복. 재물. 풍요로움

붕어

부부금슬, 부부화합

많은 알을 낳음 : 다산 : 풍요. 부

새우

순조롭게 일이 잘 풀림

등이 굽어 있어 바다의 노인을 상징.

바다 해 海, 노인 盧를 붙여 해로라 읽음.

부부가 평생 함께 행복하게 살아가는 해로 偕老 상징

소라

입에 대고 불면 큰 소리가 남 : 웅변

학식이 높다. 지식이 많다.

숭어

부부금슬, 부부화합

많은 알을 낳음 : 다산 : 풍요. 부

쏘가리 궐어

과거 급제.

입신양명 : 출세하여 이름을 세상에 떨침.

쏘가리의 궐 鱖 자가 궁궐의 闕자와 같음

: 과거에 급제하여 대궐에 들어가 벼슬살이를 하다.

쏘가리 + 낚시 바늘 : 벼슬자리를 맡아두다.

잉어

아들을 얻고자 함.

뛰어오르는 모습 : 급제. 출세

늙은 잉어들이 용문의 센 물살을 거슬러 폭포를 뛰어오르
면 용이 된다. : 어변성룡

용이 될 때에는 천둥 번개가 일어나 잉어의 꼬리를 불태
워 없애고, 용으로 변한 잉어는 여의주를 갖게 된다.

아침 햇살 + 뛰어오르는 잉어 : 약리도

두 마리의 잉어 : 두 번의 과거 시험에 모두 급제

두 마리의 잉어 + 연꽃

: 연의 음인 연 蓮을 이어지다 連으로 바꾸어

연이어 과거에 급제하다는 뜻으로 해석

조개

다재다능

화합

새우 + 조개 : 축하 (회갑, 진갑. 고희) 선물

: 새우 하 鰕 를 축하의 하 賀 로 해석하고

 조개 합 蛤을 화합의 合으로 해석함.

세 마리의 물고기 : 삼여도

중국에서 고기 어 漁 와 남을 여 餘 자가 발음이 같음

삼국지 위지 왕숙전에서 동우 이야기에서 전래

"어떤 사람이 동우에게 배움을 청하자, 책을 백 번만 읽으면 뜻이 저절로 통한다며 거절했다.

그 사람이 쪼들리고 바쁘지 않은 날이 없어서 글 읽을 여가가 없다고 하자, 동우는 학문을 하는 데는 세 가지 여가 (삼여) 三餘만 있으면 충분하다 말했다."

동우가 말한 삼여란 밤, 겨울, 비오는 날을 뜻한다.

공부에 대한 태도를 뜻하는 말이다.

바다생물을 소재로 한 그림

(국립중앙박물관)

약리도

그림 속 상징

해 : 밝음. 어둠을 물리침

파도 : 역경

잉어 : 뛰어오르는 모습 : 급제. 출세

　　　<u>늙은 잉어들이 용문의 센 물살을 거슬러</u>

　　　<u>폭포를 뛰어오르면 용이 된다.</u> : 어변성룡

　　　용이 될 때에는 천둥 번개가 일어나

　　　잉어의 꼬리를 불태워 없애고,

　　　용으로 변한 잉어는 여의주를 갖게 된다.

바다생물을 소재로 한 그림

(국립중앙박물관)

어해도

그림 속 상징

잉어 : 가족화목, 자손번창

세 마리의 물고기 : 삼여도

중국에서 고기 어 漁 와 남을 여 餘 자가 발음이 같음
삼국지 위지 왕숙전에서 동우 이야기에서 전래

"어떤 사람이 동우에게 배움을 청하자,
책을 백 번만 읽으면 뜻이 저절로 통한다며 거절했다.
그 사람이 쪼들리고 바쁘지 않은 날이 없어서
글 읽을 여가가 없다고 하자,
동우는 학문을 하는 데는
세 가지 여가 (삼여) 三餘만 있으면 충분하다 말했다."

동우가 말한 삼여란 밤, 겨울, 비오는 날을 뜻한다.
공부에 대한 태도를 뜻한다.

바다생물을 소재로 한 그림

(국립중앙박물관)

조정규의 헤엄치는 물고기

그림 속 상징

새우 : 순조롭게 일이 잘 풀림

　　등이 굽어 있어 바다의 노인을 상징.

　　바다 해 海, 노인 盧를 붙여 해로라 읽음.

　　부부가 함께 행복하게 살아가는 해로 偕老 상징

조개 : 다재다능. 화합

　　새우 + 조개 : 축하 (회갑, 진갑. 고희) 선물

　　: 새우 하 鰕 를 축하의 하 賀 로 해석하고

　　　조개 합 蛤을 화합의 合으로 해석함.

게 : 등딱지: 갑 甲 으뜸 혹은 과거시험의 의미를 지님

　　두 마리의 게 : 두 번의 과거에서 장원 (1등) 기원

　　<u>갈대 + 두 마리의 게 : 전려</u>

　　: 임금이 장원 급제한 사람에게 내리는 좋은 음식

　　갈대 + 두 마리의 게 + 등 굽은 새우

　　: 과거 급제하여 벼슬살이. 장수. 부부 해로

곤충

귀뚜라미

귀뚜라미의 한자 귁아가 관아와 닮았다고 하여 관아 상징

나비

장수, 부부화목

기쁨. 사랑. 영화. 부부간의 화합

부귀

꽃 + 나비 : 꽃은 여성, 나비는 남성

나비 한 쌍 : 남녀 한 쌍

방아깨비

남녀간의 정절, 예의

벌

군집을 이루어 열심히 일하는 모습 : 성실을 상징

꽃과 함께 그려지면 남성을 의미

곤충을 소재로 한 그림

(국립중앙박물관)

남계우의 꽃과 나비

그림 속 상징

모란 : 화려하고 귀족적인 꽃 : 꽃중의 왕

　　　귀한 사람이 되어 이름을 날리고 부자가 됨

　　　부부의 사랑

　　　3월, 봄을 상징

나비 : 기쁨. 사랑. 영화.

곤충을 소재로 한 그림

(국립중앙박물관)

84

전 신사임당필 초충도

그림 속 상징

수박 : 수복 (壽福) 오래사는 것과 복을 누리는 일

     : 장수와 복을 의미

     씨앗이 많음 : 아들을 많이 낳음 : 부자 기원

나비 : 기쁨. 사랑. 영화. 부부화목

패랭이꽃 : 청춘, 절개

쥐 : 복

상 상 의 동 물

임금님의 옷에 그려진 용과 대통령 집무실에 있는 봉황, 궁궐이나 절 앞을 지키고 있는 해태의 공통점은 무엇일까요?

바로 상상 속 동물이라는 것입니다.

상상 속의 동물들은 저마다 고유의 특성을 지니고 있어 사람을 돕기도 하고 잘못된 행동을 하면 벌을 내린다고도 하지요.

멋진 상상의 동물들을 만나러 가 볼까요?

기린

자비. 공정함. 상서로운 징조
뛰어난 재주와 기량. 뛰어난 재주와 기량을 가진 사람
사회의 안정
수컷이 기 麒 암컷이 린 麟
생물을 아끼는 어진 짐승 仁獸
성군이 나타날 징조

백호

서쪽을 지키는 신령스러운 동물
사악한 것으로부터 지켜줌 : 벽사
용과 함께 볼법을 지키는 수호신

봉황

고귀함. 상서로움
수컷이 봉 鳳 암컷이 황 凰
군왕이 갖춰야 할 모든 조건을 갖춤 : 군왕 상징

용

황제. 권위. 고귀함. 신령스러움
암컷과 수컷이 있으며 알을 낳음

비를 다스림 : 농경사회

어룡 : 용이 되려는 잉어. 과거급제 상징

반룡 : 하늘에 오르기 전의 용,

       벼슬하기 전의 인재를 이르기도 함

청룡 : 벽사 : 요사스러운 귀신을 물리침

해태

정의. 뛰어난 판단력. 공정

물의 수호신, 불을 막음

벽사 : 요사스러운 귀신을 물리침

현무

북방의 수호신

암수가 한 몸

상상의 동물을 소재로 한 그림

(국립중앙박물관)

봉황도

그림 속 상징

봉황 : 고귀함. 상서로움

       수컷이 봉 鳳 암컷이 황 凰

       군왕이 갖춰야 할 모든 조건을 갖춤 : 군왕 상징

모란 : 부귀영화

오동나무 : 봉황은 오동나무에 앉아

       대나무 열매를 먹는다고 함.

       새들의 왕, 봉황이 선택한 나무

       오동의 동자는 같을 동자와 음이 같음

      : 좋은 것을 함께 누린다.

       부부화목

       오동나무 잎사귀 모양이 土 흙 토와 비슷하여

       잎사귀 하나마다 돈을 상징하기도 함.

상상의 동물을 소재로 한 그림

(국립중앙박물관)

운룡도

그림 속 상징

용 : 황제. 권위. 고귀함. 신령스러움

　　암컷과 수컷이 있으며 알을 낳음

　　비를 다스림 : 농경사회

상상의 동물을 소재로 한 그림

(국립중앙박물관)

용과 호랑이 가운데 용

그림 속 상징

용 : 황제. 권위. 고귀함. 신령스러움

    암컷과 수컷이 있으며 알을 낳음

    비를 다스림 : 농경사회

청룡 : 벽사 : 요사스러운 귀신을 물리침

글쓴이의 한 마디.

민화는 "뻔그림"이라 부르기도 합니다.

처음엔 조금 자유롭게 그리던 그림들이, 의미와 의미를 더해 하나의 규칙을 만들고 틀이 만들어지기 시작하면서 일정한 형태를 가지기 때문입니다.

그래서 다른 그림들에 비해 처음 그림을 그리는 분들도 조금 더 쉽고 빠르게 완성도 있는 그림을 만날 수 있다는 장점을 지닙니다. 대신 다 똑같은 그림을 그리는 것 같은 기분이 들기도 하지요.

"민화는 다 똑같은 그림 아니야?"
"그림은 예쁜데, 무슨 의미가 있는건지 알고 싶어."
"난 좀 다른 느낌의 민화를 그려보고 싶어."

저는 민화에 담긴 이야기가 너무 재미있어서 민화에 폭 빠진 사람이었습니다. 민화 전시장에서 손님들께 각 그림 속 숨은 이야기를 들려드리면 그림을 다시 들여다보고 재미있어하시지요.

이 책은 민화를 알고 싶어하는 분, 민화를 그리는 분, 조금 색다른 그림 이야기를 만나고 싶은 분들을 위해 제가 배워왔던 민화와 읽어왔던 책, 더 깊이 알고 싶어 따로 배운 동양 철학 이야기를 모아 만들었습니다.

제가 이 책을 지어 선물하고 싶은 아이들까지 생각하여 최대한 쉬운 우리말로 대체하였음을 알립니다.

이 땅을 살아 온 옛사람들의 생각이 의미가 되고 상징이 되어 돌아온 우리 그림 민화.

이 책을 펼쳐보시는 여러분께 그들이 그토록 원하고 바라던 복들이 함께 하길 바랍니다.

이름으로 찾기

참 고 문 헌

허균   1999 [전통 미술의 소재와 상징]

손전태 2000 [한국 민화에 대하여]

윤열수 2000 [민화1(KOREA ART BOOK 6)]

허균   2007 [허균의 우리 민화 읽기]

조용진 2013 [동양화 읽는 법]

이성미, 김정희 공저 2015 [한국 회화사 용어집](개정판)

김영재 2015 [민화의 뿌리]

정병모 2017 [민화는 민화다]

윤열수 2018 [서민의 삶과 꿈, 그림으로 만나다]

박영태 2019 [민화의 맛]

윤열수 2022 [알고보면 반할 민화]

윤열수 2023 [민화의 즐거움]

월간 민화

네이버 어학사전